KB171456

한국의 아름다운 전통 의상인
한복은 그 아름다움과 우아함으로
오늘날에도 여전히
많은 이들의 마음을 사로잡고 있습니다.
이 책은 그런 한복의 아름다움을
한층 더 강조하고,
한복의 매력을 전달하기 위해
제작되었습니다.

이 일러스트북은
다채로운 한복의 스타일과 디자인을 소개하며,
그 속에는 한국의 전통적인 요소들이
아름답게 반영되어 있습니다.

이 책이 독자들에게
한복의 아름다움과 매력을 전달하고,
한국의 전통적인 문화를
더욱 가깝게 느끼게 함으로써,
한복에 대한 관심과 사랑을 더욱 확대시키는 데
일조할 것을 기대합니다.
함께 이 아름다운 여정을
떠나보시기 바랍니다.

여우비 내리는 날

한복 일러스트북

차례

• 한복을 입을때 착용하는 장신구

• 한국의 전통 세시풍속

• 한국의 예쁜 꽃

月光如水，孤影對窗。
(달빛이 물처럼 흐르니, 외로운 그림자가 창에 비친다.)

비녀는 머리를 고정시키거나 장식용으로
사용되는 긴 막대 모양의 장신구입니다.

少女笑顏，猶似春花。
(소녀의 웃는 얼굴은 마치 봄꽃과 같다.)

노리개는 한복 저고리의 고름에 달아 장식하는
액세서리로 다양한 모양과 재료로 만들어집니다.

夜深懷念，夢裡尋君。
(밤이 깊어 그리움이 더해지니, 꿈속에서 그대를 찾는다.)

족두리는 결혼식이나 중요한 의식에서
여성이 머리에 쓰는 장식용 모자입니다.

滂沱雨下，心憶舊時。

(거센 비가 내리니, 마음은 옛 시절을 그리워한다.)

댕기는 여성의 머리카락 끝에 달아
장식하는 끈 모양의 장신구입니다.

霧靄迷離, 山水含情。

(안개가 희미하게 덮여 있으니, 산수도 감정을 머금는다.)

뒤꽂이는 머리를 장식하는 데 사용되며
비녀와 함께 사용하기도 합니다.

懷念如風，飄過心田。
(그리움이 바람처럼 불어와, 마음 밭을 스쳐 지나간다.)

그리고, 화려한 새와 꽃모양 장식이
빛나는 **떨잠**이 있었습니다.

桃花面頰，笑若晨露。

(복숭아꽃 같은 뺨, 아침 이슬처럼 웃는다.)

여자용 신인 **운혜**는 앞부리와 뒤꿈치의
구름모양이 특징입니다.

愛如春風，溫暖我心。

(사랑은 봄바람처럼 내 마음을 따뜻하게 한다.)

한복은 고대시대부터 전해 내려오는
한국의 고유한 전통복입니다.

少女吟詩，清音悠揚。
(소녀가 시를 읊으니, 맑은 소리가 길게 울린다.)

한복은 치마와 바지, 저고리 등으로
구성되어 있습니다.

晨霧朦朧，花影婆娑。
(아침 안개가 희미하게 끼니, 꽃 그림자가 어른거린다.)

여러 종류의 한복이 있으며,
각각의 명칭과 특징은 다음과 같습니다.

月影朦朧，思君千里。
(달빛이 희미하니, 그대를 천리 밖에서 생각한다.)

*평복: 기본적인 한복의 형태로, 상의는 저고리,
하의는 바지로 이루어져 있습니다.

月照松間，靜夜無言。
(달이 소나무 사이를 비추니, 고요한 밤에 말이 없다.)

*포: 여성의 평상복으로, 아래옷으로
속속곳을 입고 바지를 입으며,
그 위에 단속곳을 입고 두텁게 차려 입습니다.

心中愛戀，如花初綻。
(마음 속 사랑이 꽃처럼 처음 피어난다.)

*백저포: 여성의 평상복 중 하나로 속속곳을 입고
바지를 입으며 그 위에 치마를 입어
더욱 풍성하게 차려 입습니다.

因緣巧合，心心相印。
(인연이 기묘하게 맞아, 마음과 마음이 서로 통한다.)

*도포: 여성의 평상복으로, 속속곳을 입고 바지를 입으며, 그 위에 치마를 입어 두텁게 차려 입습니다.

愛意深深，似海無涯。
(사랑의 감정이 깊어 바다처럼 끝이 없다.)

*두루마기: 나들이 때 여성들이 입는 옷으로
평상복 위에 추가로 차려 입습니다.

春雨潤物，心隨花開。
(봄비가 만물을 적시니, 마음도 꽃과 함께 피어난다.)

*배자: 배자는 저고리 위에 입는 옷으로
방한용 옷입니다.

*마고자: 배자와 마찬가지로 두루마기 위에
입는 방한용 옷입니다.

雨聲淅瀝，幽思難止。
(비 소리가 소리없이 내리니, 깊은 생각이 멈추지 않는다.)

*당의는 조선 시대 여성의 예복용 저고리입니다.

相逢偶然，因緣注定。

(우연히 만남은 인연이 정해져 있다.)

*원삼은 화려하고 아름다운 혼례복입니다.

少女如花，笑靨明媚。
(소녀는 꽃처럼 웃는 얼굴이 아름답다.)

*활옷은 혼례를 치를 때 입었고
화관과 갖가지 비녀로 장식했습니다.

花開滿園，香飄十里。
(꽃이 온 정원에 피어나니, 향기가 십 리에 퍼진다.)

*대삼과 적의는 왕비의 대례에 입는
법복으로 심청색이나 홍색이 있습니다.

月光如水，清照窗前。
(달빛이 물처럼 맑게 창 앞을 비춘다.)

*민회장 저고리: 동일한 옷감으로
소매, 깃, 고름, 섶, 길을 만든 저고리입니다.

愛如春風，拂面輕柔。
(사랑은 봄바람처럼 얼굴을 부드럽게 스친다.)

*반회장 저고리: 끝동, 고름 부분만
다른 색으로 한 저고리입니다.

愛意綿綿, 心如織綾。
(사랑의 감정이 계속되니, 마음이 비단처럼 짜여진다.)

*삼회장 저고리: 끝동, 깃, 고름, 곁마기까지
다른색으로 한 저고리입니다.

心懷希望，如星照夜。

(마음에 소망을 품으니, 별이 밤을 비추는 듯하다.)

*색동저고리:명절 때는 여자아이가 많이 입고
돌날에는 남자아이도 많이 입습니다.

狐雨迷濛，情似夢幻。

(여우비가 희미하게 내리니, 감정이 마치 꿈속 같다.)

*세시풍속은 한국에서만 있는 매년 반복되는
고유의 풍속으로,
주로 음력으로 날짜를 관리합니다.

夢裡尋君，醒來空憶。
(꿈속에서 그대를 찾았으나, 깨어나니 허망한 기억뿐이다.)

*세시풍속은 다양한 종류가 있으며,
이십사 절기와 사 대 명절에 따라
다양한 의미와 상징성을 가지고 있습니다.

*정월 풍속 (설날): 한 해의 첫날로서 가족이 모여
세배를 하고 떡국을 먹으며 새해를 맞이합니다.

緣分如絲，牽引相會。
(인연이 실처럼 이어져, 서로 만나게 한다.)

*삼짇날 (음력 삼 월 삼 일): 봄의 시작을 알리는 날로
화전놀이를 즐깁니다.

一夜等待，心如止水。
(밤새 기다리니, 마음이 고요한 물결 같다.)

*단오 (음력 오 월 오 일): 여름의 시작을 알리는 날로
창포물에 머리를 감고 부채와 쑥떡을
만들어 나누는 행사가 있습니다.

春花爛漫，美不勝收。
(봄꽃이 만발하니, 그 아름다움이 이루 말할 수 없다.)

*칠석 (음력 칠 월 칠 일): 사랑과 결혼에 관련된
다양한 행사가 있는 날입니다.

心中願望，如星閃爍。

(마음 속 소망이 별처럼 반짝인다.)

*추석 (음력 팔월 십오 일): 한가위라고도 불리며
송편을 만들고 조상을 기리는 제사를 지내며
추수 감사의 날을 맞이합니다.

花開滿園，香溢四方。

(꽃이 온 정원에 피어나니, 향기가 사방에 넘친다.)

한국의 전통 의식과 문화는 수천 년의
역사를 통해 다양한 형태로 발전해 왔습니다.

縁起縁滅，皆在天意。
(인연이 생기고 사라짐은 모두 하늘의 뜻에 있다.)

이러한 전통은 한국인의 일상생활, 예술, 음식, 건축 등
다양한 측면에서 깊이 뿌리내리고 있습니다.

愛如春雨，滋潤無聲。

(사랑이 봄비처럼 소리 없이 적셔준다.)

한국은 아름다운 자연환경을 가지고 있으며,
이는 전통문화에 큰 영향을 미쳤습니다.

한옥과 같은 전통 가옥은 자연과 조화를
이루는 디자인으로 유명합니다.

한국 문화는 신라, 고려, 조선 왕조 등의
역사적 시대를 거치며 독특한
문화적 정체성을 유지해 왔습니다.

哀惜情深，難以釋懷。

(애틋한 정이 깊어, 마음에서 쉽게 놓을 수 없다.)

한국 사회는 공동체와 가족을 중시하는
문화를 형성해 왔습니다.

淚落如雨，心痛如割。
(눈물이 비처럼 떨어지니, 마음이 베이는 듯 아프다.)

한국의 전통 음식은 건강하고 맛있으며,
재료와 조리법에 대한 깊은 이해와 예의가 있습니다.

夢中花開，醒時空留。
(꿈속에서 꽃이 피어나니, 깨어난 후에는 허무함만 남는다.)

이러한 전통문화는 한국 사회의 역사와 가치를
이해하는 데 중요한 역할을 하며,
현대 사회에서도 여전히 많은 영향을 미치고 있습니다.

孤獨長夜， 心如寒霜。

(긴 밤의 고독이, 마음을 차가운 서리처럼 만든다.)

한국에는 아름다운 야생화가 많습니다.
한국의 대표적인 꽃의 이름을 나열하겠습니다.

希望如光，照亮前路。
(소망이 빛처럼 앞길을 밝힌다.)

무[*]궁화: 영원한 생명

依稀舊夢，猶在心頭。
(아련한 옛 꿈이 여전히 마음속에 있다.)

매화*: 인내와 순수, 희망

風裡待君, 歲月如歌。
(바람 속에서 그대를 기다리니, 세월이 노래와 같다.)

*백합: 순수한 마음

夢中相見，無限溫柔。
(꿈속에서 만나니, 한없는 온화함이 있다.)

*벚꽃: 아름다운 순간의 덧없음

春花爛漫，芬芳四溢。
(봄꽃이 만발하여 향기가 사방에 퍼진다.)

*해바라기: 충성과 행복

春風拂面，萬物復蘇。

(봄바람이 얼굴을 스치니, 만물이 다시 소생한다.)

*수선화: 새로운 시작과 부활

*국화: 장수, 기쁨, 낙관

霧雨蒙蒙，心隨夢遠。
(안개비가 부슬부슬 내리니, 마음은 꿈 따라 멀리 간다.)

*장미: 사랑과 로맨스

花開花落，等待依舊。

(꽃이 피고 지듯, 기다림은 여전하다.)

*목련: 여성스러움과 순결

櫻花漫天，醉人芳香。
(벚꽃이 하늘 가득하니, 향기가 사람을 취하게 한다.)

연꽃*: 청순함과 순결

銀蓮花開, 清香滿園。
(아네모네가 피어나니, 맑은 향기가 정원에 가득하다.)

진*달래: 조화와 절제

罌粟盛開，艷色動人。
(양귀비꽃이 만개하니, 그 빛깔이 사람을 매혹한다.)

*개나리: 새로운 시작과 행복

水仙花開，清姿照水。
(수선화가 피어나니, 맑은 자태가 물에 비친다.)

*철쭉: 저항의 정신

霧雨蒙蒙， 心隨夢遠。

(안개비가 부슬부슬 내리니, 마음은 꿈 따라 멀리 간다.)

*코스모스: 순정과 평화

舊夢依稀，念君不止。

(옛 꿈이 희미하게 떠오르니, 그대를 생각함이 멈추지 않는다.)

*튤립: 사랑의 고백

민들레*: 소망, 기원, 자유

月色如銀，夜深無語。
(달빛이 은빛처럼 빛나니, 깊은 밤에 말이 없다.)

*작약: 사랑의 품격

心中願望，如星閃爍。
(마음 속 소망이 별처럼 반짝인다.)

*수국: 감사, 이해, 우정

*아네모네: 변화, 희망, 안정

夜深懷念，夢裡尋君。
(밤이 깊어 그리움이 더해지니, 꿈속에서 그대를 찾는다.)

*백합: 순결과 순수

惆悵如煙，縈繞心頭。
(아련함이 연기처럼, 마음에 맴돈다.)

*라일락: 첫사랑의 아련한 추억

여우비 내리는 날 한복 일러스트북
발 행 | 2024년 5월 25일
저 자 | 정유영
펴낸이 | 한건희
펴낸곳 | 주식회사 부크크
출판사등록 | 2014.07.15.(제2014-16호)
주 소 | 서울특별시 금천구 가산디지털1로 119
SK트윈타워 A동 305호
전 화 | 1670-8316
이메일 | INFO@BOOKK.CO.KR
ISBN | 979-11-410-8513-1
WWW.BOOKK.CO.KR